兔子刑警的發情期！

2

佐崎いま＋高瀬ろく

hatsujouki janakya nagutteru! 2 presented by sasaki ima + takase roku

CONTENTS

hatsujouki janakya naguttteru! 2
presented by
sasaki ima + takase roku

第5話

大野狼先～生
快～點出～來啊～♫

性慾會隨著月齡增長而增強，
一暴露在月光下
就會發情。

——這種體質被稱為「兔子」。

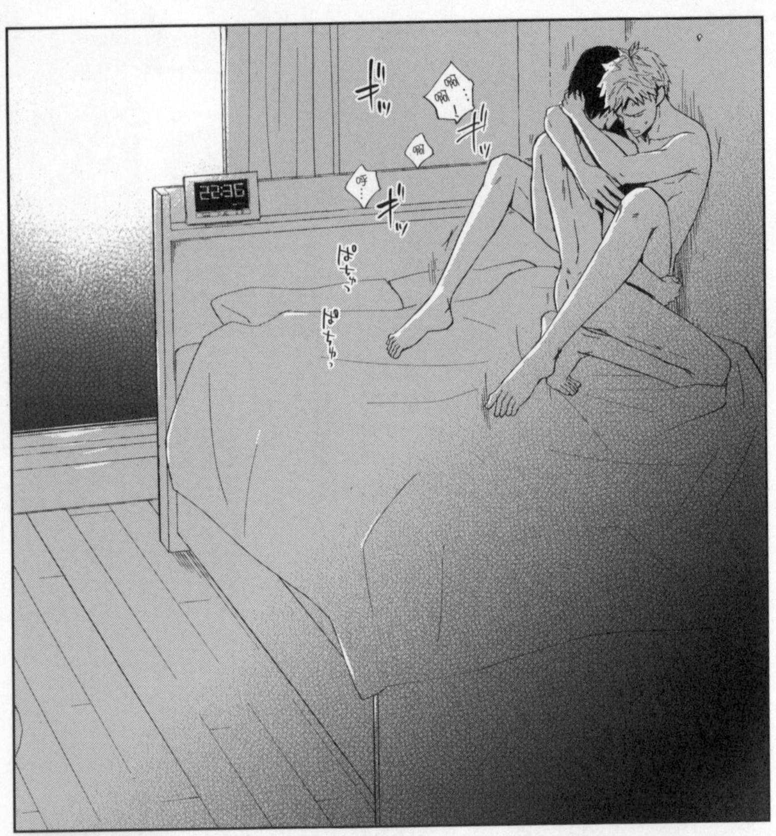
ギッ
啊……啊……！
ギッ
啊
呼……
ギッ
ぱちゅ
ぱちゅっ

大神……大神……！
呼……
呼……
你的裡面動得很激烈喔，兔子。

ぬる
ぬる
啊……
啊
瞧，你的前液連我的肚子都弄濕了。

你也差不多想射了吧？
唔……
猛點頭

啊!
擁有「兔子」體質的我
在滿月的夜裡，
不論怎麼刺激自己的後面
都無法獲得滿足。
呼…
啊…啊!
直到被「狼」吃了之後
我才第一次體驗到
滿足的滋味。
而這一點，
擁有「狼」體質的大神也是一樣。
呼!
滋
滋啾
滋
啊!

大…神…！
ゴリュッゴリュッ
ズッズッ
裡面…好激烈…啊…！
碰到了…啊…碰到了！
ズチュズチュ
ぞくぞくぞくぞくっ
嗚啊…啊…
呼…！
顫抖

呼—呼—
啊——……
呼…

呼… 呼…
呼…

呵！
……

噗哈！
…怎樣啦，「滿足」了嗎？
嗯。
滿月之夜，
我們會做到再也站不起來為止。

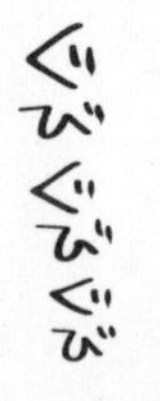
至於，
說到新月時
我們是怎麼相處…

巨大海參
哇哈哈！
目標!!補捉到
2公尺以上的海參!!!

ごびごびごび

カチャ
カチャ

噗哈——！
嘩～！
真好喝——
新月期太讚了～
因為完全不會
有性欲嘛…

感動…
呼～～～
沒有性慾
真令人放鬆…
你是怎麼了？
一臉蠢相。
少囉唆！
來啊，
你也喝嘛。
這個月
辛苦你了。
乾杯！
喔！

啊——可是…
跟你做了之後
就可以「獲得滿足」，
所以我也變得不像之前
那麼討厭月亮了吧…
你啊…
說這什麼
令人害臊的話…

啊！對了！
還有啊——

大神大神，
我跟你說喔，
我發現一件事！
又怎麼啦？

啾—
!?

新月時雖然沒有性慾，但只要接吻，就莫名有種「被滿足」的感覺耶。

雖然不用上床，但會變得有點想接吻。
得意
…是喔…

嗯…嗯…
ぐしゃぐしゃ
啊，怎樣啦！你怎麼反應這麼冷淡啊…
真是的，我說你啊…
唉…

你一定沒有好好調查過關於「兔子」與「狼」的事情吧。
唔！
…呃…太難懂了嘛…
我只有很大略地瞄～過去…
果然…
我之前就在想你明明是「兔子」卻不曉得「狼」的事情，實在很奇怪。
唔唔！
難道你知道接吻的事嗎？
支倉…？
你去搜尋看看「支倉手記」吧。
那是我最近找到的網站，用最淺顯易懂的方式整理了關於我們這種體質的資料。

…哦～
我想應該連你那種可愛的小腦袋都能看得懂吧。
ぐび

怒
你這是什麼意思！
就是字面上的意思啊。

啊，可惡！你一定把我當白痴吧!?
別說了，快點吃吧。要我幫你吃掉嗎？
一口吞
啊！慢著！那是我要…！啊——！

東警察署
交通事故

生活安全課
安心・安全
みんなの

搜尋喔——……
ギクギク
カチャ
カチャ
我以前明明有好好查過了啊。

但因為太難懂了，所以當時只記得跟自己有直接關聯的部分而已……
哈哈……
搜尋看看「支倉手記」……
滑

對了，宇佐美啊。
好險！對耶，現在還在上班！
びくっ

有什麼事嗎，中村哥？
ギッ
你家的帥哥最近怎麼樣啦？工作還順利嗎？
怦咚怦咚
怦咚

是說大神啊，
託您的福，
他似乎還在
繼續做。

喔喔，
這樣啊。

但我倒是很意外
中村哥會介紹他
那麼可愛的咖啡廳耶。
啊哈哈！
畢竟當時在徵
白天班工作人員的
餐飲店，
就只有那家了嘛。

之前的事件過後，
我找中村哥商量，
他就幫大神介紹了工作。
而且…還是間令人有點意外的店。

畢竟像是我們
騙了他一樣嘛，
總覺得有點抱歉。
…還有你也是。

我已經不在意了啦。
畢竟是無可奈何的
情況嘛。

…你肯這樣說，
真讓我
鬆了一口氣呢。
不過那間店
很受年輕女性歡迎，
說不定你會
擔心就是…

咦？擔心什麼？
你還問我…你們不是那種關係嗎？

那種是指……
…啊！

不…不是啦！我怎麼可能跟那種傢伙嘛！
喔…是喔，那真是抱歉了，我還以為…
嘟噜噜…

喀嚓
喂，我是生安的中村。
喔，是總務的……嗯……
那種關係…!?那種是哪種關係啊!?
混亂…

我們究竟算是什麼關係啊…!?
ガチャ…
…我回來了。
歡迎回來。飯煮好嘍，換過衣服就來吃吧。

カチャ カチャ
嗯。
兔子，幫我把那邊的小碗拿出來。
好。拿藍色的可以嗎？
就是那個。
……

會下廚，
人也還算貼心…
和他上床很舒服……
但那是因為我是「兔子」的緣故？
這樣看起來，他應該真的挺受女生歡迎的…
煩——悶…
不安…
轉頭
喂，你怎麼了？
啊！
啊！…不…呃……！

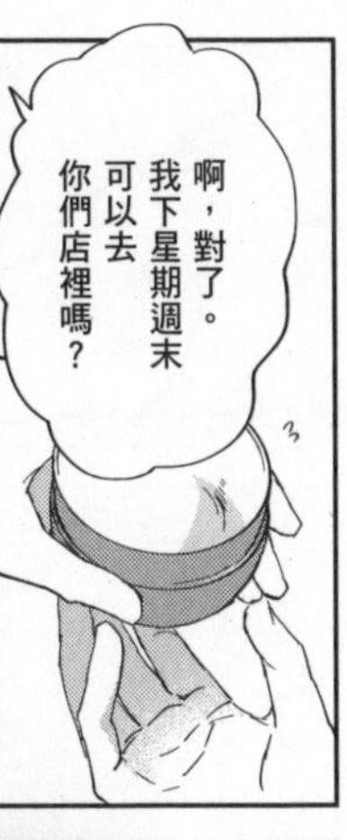
啊，對了。我下星期週末可以去你們店裡嗎？

你看嘛，難得中村哥幫我們介紹，我卻一次也沒去過…
…嘛……
カチャ

下星期？這星期不行嗎？
ちょいちょい
這個週末我要值班。
喔，這樣啊。
…好了，你把這個拿去桌上就坐著吧。

你可別挑午餐時段來喔，我會沒空理你。

我知道了。

カシャッ
…啊！

滾滾滾

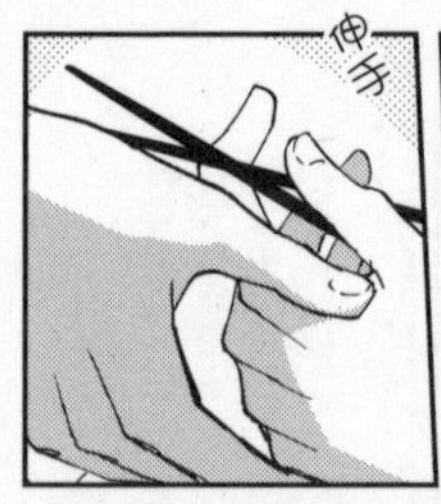
伸手

怦咚！

驚
啊！啊！
呃…
抱歉…
你到底怎麼啦？
很奇怪耶。
沒事啦…！
哇～今天的飯
看起來
也很好吃耶～！

我要開動了！
…？

張嘴
…唔！

我們之間的關係…
是「兔子」與「狼」的關係，
那要是出現了我以外的「兔子」，大神會——
…吞下

…我說，大神…
那個啊…
嗯？

除了我們之外，也有其他的「兔子」或「狼」存在吧…？

………

……是啊。

人聲鼎沸
Bank

CAFE
啊！是在那邊吧？
應該是那間店吧？
啊哇哇哇…雖然是我說要來……

而且也早就知道是一間可愛的店，但叫我走進去，難度真是超乎想像地高…
嗚咕咕…
話雖如此…
那個人一直站在那邊耶…
說會來就要說話算話！宇佐美圭吾，你是男子漢吧!?

CAFE
ざわ
ざわ
キャッ キャッ
兔子說今天會來吧，
差不多要到了？
ダンッ
！

!
找到你嘍～大神哥——
ザワ
ザワ

……士狼……

hatsujouki janakya nagutteru!
presented by sasaki ima + takase roku

嘖！
……士狼……
幫我帶個位啊，
店員先生。
竊笑竊笑
第6話

コッ
コッ
左顧右盼

你來做什麼？
コッ
コッ
幫派解散啦。
CAFE
大神哥離開之後，組長因為無聊的詐欺罪就被抓去吃牢飯了。
就因為這樣，我也很傷腦筋啊，
沒有加入幫派的話，我什麼也做不成嘛。
ガタン
ギシッ
唉…
所以嘍…
瞄

大神哥，要不要跟我搭檔啊？
我們兩個一起看要投奔哪個幫派。
只要我們搭檔，一定不管什麼幫派都會要我們呢。
畢竟我們可是──
那些已經跟我無關了。
……！
──大神哥……難道你……

找到「兔子」了？
…居然撇下我？
ピクッ
…我去為您拿水。

歡迎光臨～
！
可以坐那邊的座位嗎？
啊！好的！
咕哇…
張望

兔……
……！

我坐在那邊的位子喔。
揮揮手

……哦～
那就是大神哥的「兔子」？
！

士狼…你這傢伙！
…！
ザッ
ギリッ
ドガッ

CAFE
坐立難安

……

CAFE
大神會不會過來這邊啊？…啊，不過我也知道他是在上班啦…

可是他要我「避開尖峰時段過來」就是指會來找我吧。
…話說回來，
可以看到他和在家裡時不同的另一面是滿新鮮的，不如說…
瞄

嗯——……
應該說…果然
滿帥的…吧…
ソワー
怦咚
怦咚……
探頭
!
!?
一顫

毛骨悚然
那傢伙…是怎樣…！
……
……
……
是說…咦!?
…！
……！

…！
……！
呿！

……!?
攤開
……
090-XXXX-XXXX
クシャッ
再跟我聯絡吧，我也想問問你「兔子」的事啊。
—!
揉爛

喂，
可別鬧事喔。
因為有中村先生介紹我才會相信你，要吵架的話拜託就從後門出去喔。
我明白，請不用擔心。
…唉…
歡迎光臨。請問是兩位嗎？
…最好不要在士狼（那傢伙）面前跟兔子太親近吧…
對~
啊~呃…呃—
請問要點什麼呢？
咖啡咖啡!?

悶⋯
氣——

ばふっ
ばふっ
但他畢竟正在工作，我也不好意思要他陪我，
只要看到那傢伙有好好在工作我就放心了，可是……
可是…可是…可是…！

一次也沒過來我座位這邊是怎樣啊，
我也想多少跟他說個一兩句話…
氣—

而且——
煩悶…

…可惡！這種感覺是怎樣啊…

啊——！！總覺得超悶超煩躁啦！
ガバッ
喀嚓
心驚
你…你回來啦。
バタバタ
我回來嘍。
抱歉喔，今天沒辦法跟你說上話。
唔！
要吃飯嗎？
唔…嗯…

ジャー…
わしわしわし

…從那之後…
呼…
ぐいっ
你們兩個不是那種關係嗎?
那種關係是哪種關係!?

我就搞不懂
自己和大神是
什麼關係了。
「兔子」與「狼」…
…只是因為各取所需，
所以住在一起。
ガコン
我原本是
這麼想的——
ザァ
轉開
ザー
……
……
……

ガチャ
我把浴室洗好了。
バタン
熱水放好的話，你就先洗吧。
嗯。
扭緊

今晚也要做吧？

!
唔——嗯…
—

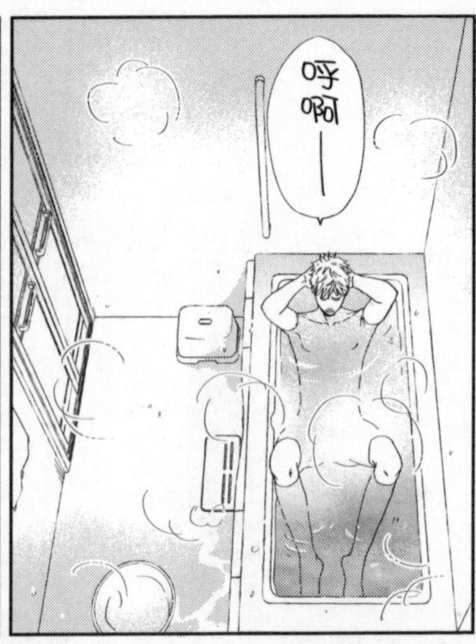
呼啊——

ブクッブク
被他問「要做吧」會覺得高興，
大概是因為我還在介意白天的事吧…
ゴクッ

那個男人，是大神的熟人…對吧？
ざばっ
他還用超恐怖的眼神瞪我……
背脊一涼

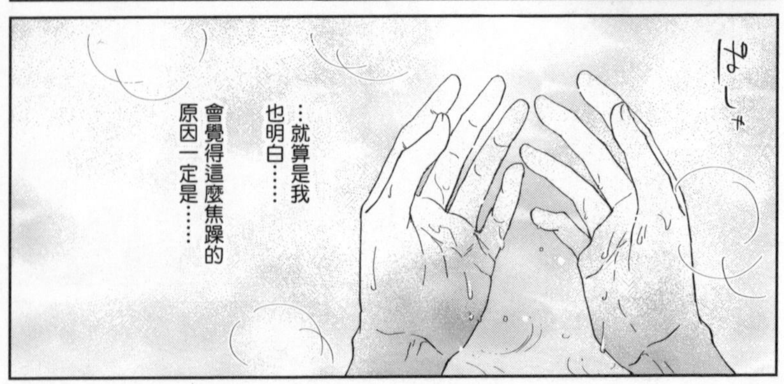
ぱしゃ
…就算是我也明白……
會覺得這麼焦躁的原因一定是……

因為我感到…
不安吧？

ザアア…
ちび…
♫
……

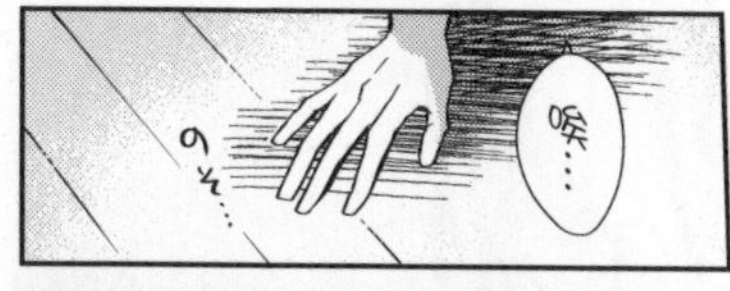

唉…
のそ…

ザー…

這是什麼？
便條？
手機號碼？
090-XXXX-XXX
ガチャッ
バタン
我洗好嘍，兔…
驚！

咦!?
……!

啊！
你……！
那個人
到底是誰……!?

那張便條
是他在那個時候
給你的吧!?
你不用在意
這種事情。

別管這件事了，
快來做吧。
!!

……唔！
慢著，大神！
我話還沒…
啾
說完…
じゅるっ
びくっ
啾
嗯！
啊……——
呼！
唔
呼啊……

ズチュ
ゆさ、ゆさ、
呼！
呼！
ズッ
呼！
ズッ
ズッ
呼！
ズッ
呼！
ズッ
嗯！
呼嗯……呼……
ギシ
ギシ
嗯！
ぬちゅ
嗯！
ズチュ

呼…！
你收縮得好用力啊，深處也想要吧？
才…沒…！
是嗎？

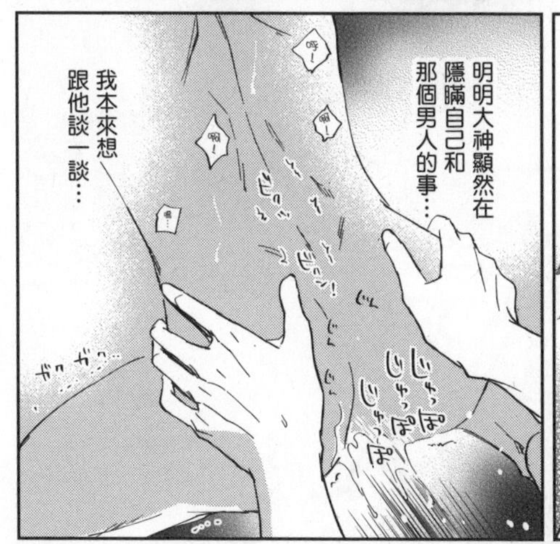

呼！
兔子…
…我的兔子…
ズッズッ
呼！
ズッズッ
ゆさっゆさっ
果然因為我是「兔子」的緣故？
又或者因為就算只有肉體也好，我若沒有和他有所關係，就更會感到不安？
呼！
呼！

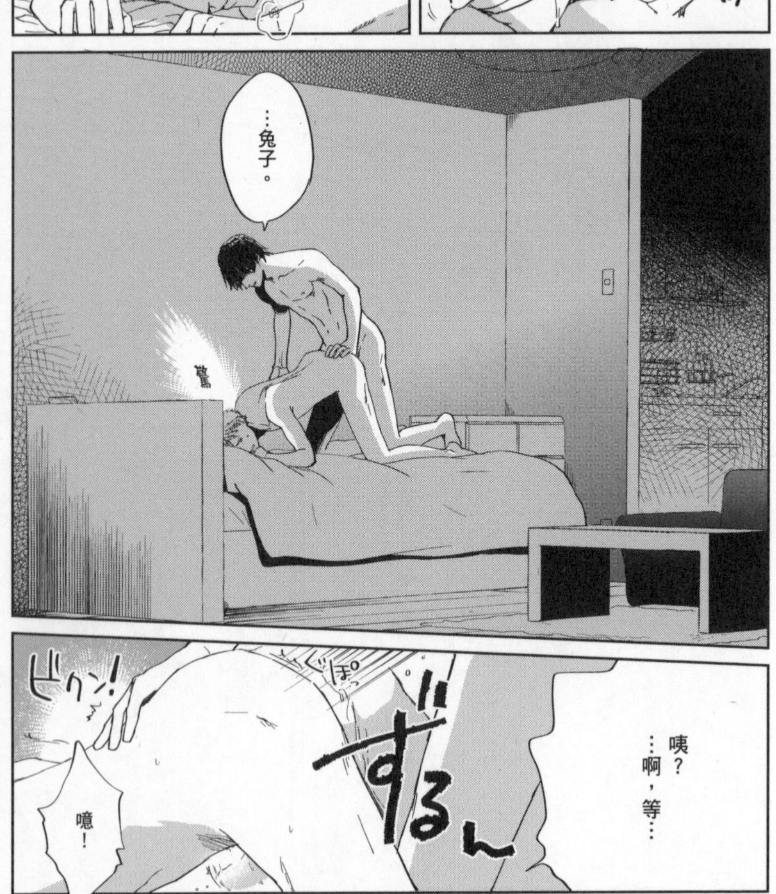
…兔子。
驚
咦？…啊，等…
するん
ぐぽっ
ビクン！
噫！

呼啊…
呼！
怎…!?
啊…！
呼…
你心不在焉呢，在想什麼啊？
這邊明明一直在抽搐。
嗚！
不說的話，我就不繼續了喔。
啊！呀…！啊…
啊…什…我…沒有…
呼！
呼…
呼…！
只有在想…你的…事…
…那就好。
噫啊！

ギッ
ギシッ
呼!
啊
啊!
ズモッズッ
明明知道…不能被他牽著鼻子走…
可是大神的…又熱又大…
我無法抵抗…
啊!
嗯…
啾
啊!
呼!
呼啊…
呼啊…
好舒服…
啾
びくっ
嗚啊!
肚子裡被填滿了…
啊!
びくっ
びくっ

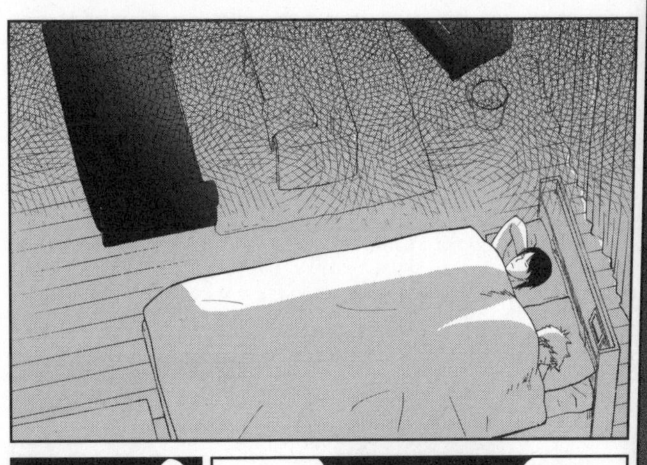

…吶…
雖然…我也
順著你做了…
但今天也不是滿月，
其實不做也可以，
不是嗎？

…兔子？

就是…
該怎麼說…
…我暫時
不想做了。
ばっ
跟你一起睡的話，
就會想做，所以
也不跟你睡了。

……這樣啊，會想做啊……
唔……

……兔子。

……我想……和你保持一點距離。
ぐすっ

兔子刑警的發情期！

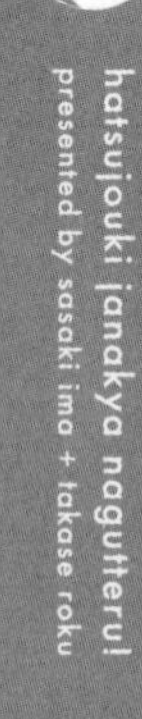
hatsujouki janakya nagutteru!
presented by sasaki ima + takase roku

……我暫時不想做了。
ぐすっ
跟你一起睡的話，就會想做，所以也不跟你睡了。
……兔子。
第7話
……我……
ざわ
ざわ
ざわ

我也太幼稚了吧——!!
難不成我其實超任性!?
唔喔喔喔喔喔喔!
ババババババ

呼!呼!呼!

刑警先生總是很認真工作呢~
啊!謝謝~

──但是我無論如何…
也不想繼續抱著這種心情
跟大神做愛──…

晚餐我會在外面吃飽再回去，
不用幫我做了。
!
…今天也是啊。
比預想的
還要棘手呢…
不過…

現在
也只能
放著等他
鬧完彆扭了。
我不想告訴他
關於士狼的事。
——不要緊的。
等到滿月，
兔子就非得
回到我的身邊了——
唉
280円
280
280

歡迎光臨～
我要大碗牛丼加蛋。

どーーん!!
讓您久等了～

謝謝。
不會不會，請慢用。

我要開動了。

カチャ
在跟大神一起住之前，我常常來這間店呢…
他自己一個人時也會做飯嗎？

就算我這樣鬧彆扭
也沒有意義。
不好好跟他
談一談的話，
也沒辦法解決問題…

…這種事情
我也明白，
況且…

等到滿月…
不跟大神做的話，
我的身體也沒辦法
平靜下來。

雖然「兔子」和「狼」這兩種體質無法離開彼此，
但「宇佐美」跟「大神」呢？
我們之間的關係究竟算什麼？
我想再多知道一點關於「兔子」與「狼」的事。
我想再多知道一點關於我和大神的事。

你去搜尋看看「支倉手記」吧。
……
支…倉…
難道「兔子」和「狼」之間並非排他的伴侶關係…？
手…記…
…好，搜尋。
難道對大神而言，我並不是「特別」的嗎…？
…在咖啡廳見到的那傢伙…那個男人…

——那傢伙莫非是「兔子」嗎……？

好高興喔~♥
真沒想到小士會再指名我耶~
因為真希美眉上次告訴我好情報啊——
我今天也會讓妳爽翻天喔♥
呀ー♥
哐啷哐噹
討厭啦~好恐怖喔~♡
是怎樣啦!要幹架喔!?說啊!?

CLUB ✦ Toro Toro
要打就到外面去啊！
嗝！
白痴——這邊就是外面啦！嗝！

……

隨著月圓，我就會越無法壓抑自己的衝動。
哐咚哐
嗳！
我曾想過為什麼只有我會這樣——

噫！
噫呀！
呼……
呼……
呼——
呼——
啊……啊！
嗚嗚……咕……
呼……
呼……
呼……
這樣……
搞不好會殺掉他……
醒來！不准睡！

グイィッ
幹什…
……!

呼……！
……你……是……
呼……！
拿去抽吧。

終於覺得能夠
稍微冷靜下來了——
ドカッ
呀——！！
哇啊啊！
才想說有夥伴
可以跟自己一起
背負著相同的痛苦
活下去…
…沒想到…
ギリッ
那副平穩的表情…是怎樣？

我才不准你…
自顧自地
獲得平靜呢…
驚
哇啊啊！
…小士？

抱歉，沒事的…
嗡～嗡～嗡～
啊！有電話。

沒見過的號碼。
！

喂喂!?

!!
!!

抱歉喔！真希美眉，我臨時有點事。
我會再指名妳的！抱歉喔！
轉身
什麼～

「支倉手記」。
隨著擁有特殊體質的祖父過世，我依照遺言，公開祖父的研究。
希望能夠幫助到有需要的人。

嚼嚼…
原來「支倉手記」還真的是手寫的筆記啊…
是掃描檔。
難怪不容易搜尋到…
關於被「狼
的兩種體質
關於被稱為「狼」與「兔子」的兩種體質
然不清楚真實原因為何，但就動物而言，繁
月亮影響，並不是罕見的情況。雖然這兩種
稱為「狼」與「兔子」，但事實上，兩者並非
的捕食關係。「狼」也無法抵抗「兔子」的
費洛蒙。
「狼」可能是女性，相對的，
「兔子」也有可能是男性。
海龜之類的好像也會在滿月時產卵是吧？
對喔，「兔子」如果是女性的話，也比較自然──…
……
嚼嚼嚼嚼
為了滿足雙方性慾，除了
一般性交也可以透過「肛交
是「口交」等方式，將「狼
嗯!?

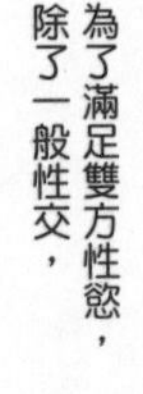

為了滿足雙方性慾，
除了一般性交，
也可以透過「肛交」或是
「口交」等方式，將「狼」的
陰莖插入「兔子」體內。
但是像愛撫或
接吻等動作
並不包括在內。
嗯嗯嗯!?

愛撫或接吻
等動作
並不包括在內。
嗯嗯嗯嗯!?!?
這是正確的
研究結果嗎!?
但我的確…
新月時
雖然沒有性慾，
但只要接吻，就莫名
有種「被滿足」的
感覺耶。
雖然不用上床，
但會變得
有點想接吻。
得意
…是喔…
當時那傢伙之所以
會那樣微妙地回應我
是因為…

哇啊——
…我——
喀啦！
對大神……

喀咚
……
……
啊——……
謝謝啦~
多謝惠顧!
嗯…不過這樣
很多事情就能
說得通了…
…是喔…這樣啊…
我這樣鬧彆扭
害大神傷腦筋,
得跟他道歉才行…

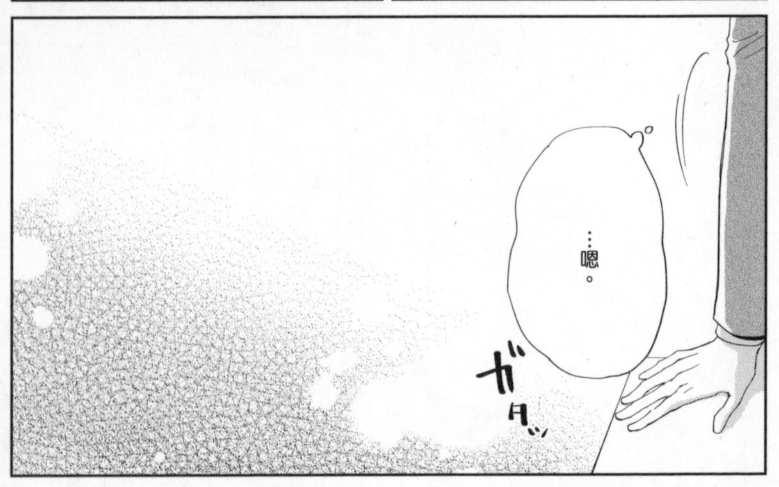
…嗯。
ガタッ

我喜歡大神。

所以才會這麼在意
我們之間究竟
是什麼關係，

如果在咖啡廳看見的那個男人是「兔子」，
我也會感到不安。

大神對我說
「我會珍惜你」
並不是謊言。

那麼，我呢？

我有想要
珍惜大神嗎——

……我想珍惜他——

DRINK ORDER
沒想到你竟然真的聯絡我了。
SENTORY

不會有下次了。我是來跟你說清楚的。
不要再來找我了。
這我可辦不到喔。
我也想要「兔子」啊。
我可不曉得什麼「兔子」。
……

…誠司出院了喔。
好不容易出院，結果幫派卻沒了，他還真是夠倒楣。

竟然敢向滿月時的狼挑釁，他也是蠢到家了。

結果竟然是叫你要負起責任離開幫派，簡直莫名其妙。
我也一樣啊，碰到滿月不爽的時候，要是有白痴靠過來，也會把他揍得稀巴爛。
這樣就能爽射一發嘛。
啊哈—
…士狼，

我一直都很不喜歡你這一點。
…呵！

……我知道。

大神先生啊～
下次也把兔子帶來吧。

所以說我不曉得什麼「兔子」……
風化區的生安刑警，不就像是會走路的身分證一樣嗎？
！

!?
ガッ
……!
喂，
難得中村哥
幫你介紹了工作。
可惡！
我也不想鬧事啊。

…士狼！你不准再來找我們了…！
「我們」…
…是吧！
!!

今天光是聽到
你這句話就夠啦！
士狼…!!
下次就讓我們
在滿月之夜
再見吧。
…！
不穩
ㄌッ

呼——!
混帳東西。
讓士狼逃掉真是太失策了…
竟敢不接我電話。
那個混蛋

下次就讓我們在滿月之夜再見吧。
滿月之夜，我會去找你。
我們終究一樣。
士狼跟我都是…「狼」啊。
…嘖！

那傢伙還醒著啊。
…我不會…把兔子交給任何人。

在下個滿月之夜，
我會……
結束這一切——

ガチャ
兔子，我回…
バタドタバタ
歡迎回來！
你好慢喔！

你去喝酒了嗎？
…唔…
？

…我去喝了點酒。
好想問他是跟誰一起喝！好想問…可是！

如果說我去跟熟人喝酒，他會不會發現我是去找士狼？
但一個人喝也很奇怪吧…
煩惱…
啊！沒有馬上回答！？

緊握…
…要…珍惜！
既然他不想說，那我也不該問！
くるっ
這樣啊～
嗯嗯！
ぎくしゃく
ぎくしゃく
是…是啊。
那個…我說啊，大神！
我…
…怎麼啦？
嗯…
呃……
…我…看了。
支倉手記…
然…然後…
那個…

裡面有寫
就算接吻也能
「獲得滿足」嗎？
びくっ
かあぁっ
ばっ
所所所所以說，
關於這點…
我也有想過了…
我…那個…
不單純因為我是
「兔子」…而是…

因為我…我喜…
！
ドサッ…

哇啊!?
哈哈!
喂，大神，你有在聽嗎!?
有在聽，有在聽。
真不妙啊，兔子，你實在太可愛了。

「我也很喜歡你喔——」
你這傢伙！
不要學我！
我不是在學你。
啾
嗯！
啾
啾咕
啾咕
啾
呼……
啾…啾！
嗯……！
啾嚕……
嗯！
…

呼！
呼！
……咕！
ぶるん！
啾啵
啊！
呼！
啊！
びく！
大…大神…你不用做那種…事啦…
呼… 呼…！
…笨蛋，這是我自己想做的啊。
你不也是。只要接吻，就有被滿足的感覺嗎？
嗯唔！
呼！
呼！
呼…

呼啊！
呼！
啊！
唔
ズズ
ズチュ
呼啊！呼啊！
啊……啊……
啊！
啊！
唔
呼！呼！
兔子…
我的兔子…
啊…
呼…呼…
ズズ
ズチュ
ズチュ
大神…
大…神…
啊！
啊！
啊

呼！
呼啊！
呼啊！

這個狀況下，我覺得——
就算走在滿月底下也沒問題。
ガクガクガク
呼…
呼…
好一陣子沒做了，真要命…！
你太拚了…
不過我也「獲得滿足」了。

…啊！
我剛剛
好像說了
很不得了的事…

嗯！嗯！嗯！
點頭點頭
——
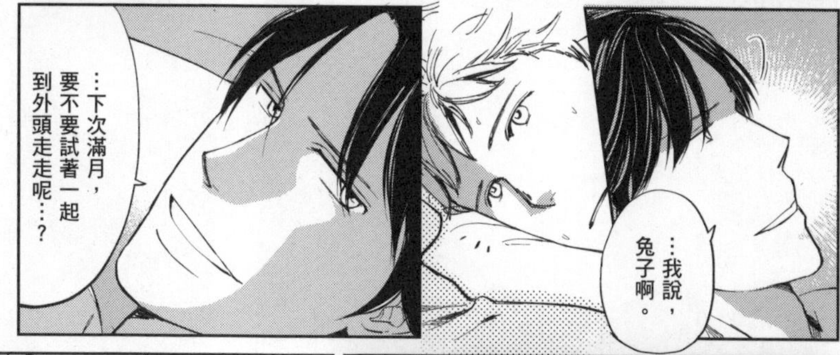
…我說，兔子啊。
…下次滿月，要不要試著一起到外頭走走呢…？

！

咕嘟…

…嗯。

辛苦了——
喔，明天見。
東警察署

今晚要跟大神約會今晚要跟大神約會今晚要跟……
宇佐美，很來勁嘛。中村哥呢？
他今天已經下班嘍。
カタカタカタカタ
カタカタカタカタ

我也要下班了，先走嘍～♪
カタカタカタ
パチパチ
カタカタカタ
カタカタカタカタ
……約會……
怦咚怦咚怦咚……

真沒想到我竟然會有主動去面對滿月的一天……
到底會怎麼樣呢……
怦咚怦咚怦咚
プシュー

嘟嚕嚕嚕嚕……
驚
ブブブ

公配的手機!?怎麼了嗎？沒顯示來電…
嗶
你好，我是東署的宇佐美。

啊！宇佐美嗎？是我…真希～
喔…呃…應召女郎的…？怎麼了嗎？
那個啊…那個…有一位纏人的客人…好像在跟蹤我…
咦!?
拜託…請馬上來救我…
噓－

第8話

有一位
纏人的客人…
好像在
跟蹤我…
拜託…
請馬上來
救我！
咦!?
我在
三島大樓！
三島大樓是吧，
我知道了，
我馬上過去。
讚！♥

……
三島大樓
是一棟已經沒人的
廢棄大樓對吧？
那裡遠離鬧區，
也沒什麼人煙。
我之前才聽說
有應召小姐
被帶進去那裡。
都被人跟蹤了，
怎麼還會到
那種地方去？

…但不去也不曉得
到底是怎麼回事…
嗯。

コツ
コツ
ぞわ
ぞわ
ぞわ
嗚——滿月果然還是有影響……
但有雲擋住還算過得去吧。
況且那個…呃……
現在每天晚上都會跟大神做……也……
有關係吧…
かぁ〜〜
啊!
得跟大神說我臨時有工作!

這個時間
他應該已經
下班了吧。
雖然對大神過意不去，但我想快點去找真希。
嗶嗶嗶

下班了嗎？辛苦你了。
您也辛苦了。

喂？
啊，大神!?呃…我…
怎麼這麼慌張？發生什麼事了？

嗡嗡嗡…
兔子…？

真希…啊！

…我得去處理一下工作的事…
工作？
カッカッカッ
那個…詳情我不能說…因為有保密義務之類的……
嗚…！
良心

兔…
總之很抱歉！我會再找機會好好補償你的…！
嗶
嘟—嘟—嘟—嘟—

好巧不巧偏偏在滿月之夜有工作？
他該不會是一個人去吧？
嘟—嘟—嘟—

呼！呼！呼！
タッタッタッ

宇佐美！
真希!?妳沒事…
呼…呼…
啊！
呃，這傢伙…
你好啊～宇佐美。

真希？這是…？
嗯——…小士說想見見宇佐美嘛…

妳說被人跟蹤是騙我的？
呃！那個……
是我拜託她幫我找你過來的啦。

謝謝喔，真希美眉。抱歉，害妳說謊了。
…啊，不會。那真希要回去了喔。
呼！

抱歉喔～宇佐美。
咦？咦？
タタッ
宇佐美，我啊～

無論如何都想
跟你聊聊喔。
因為你是…
——「兔子」對吧？
!!

為什麼
你會…!?
因為
我也一樣啊。
——!
啊…果然…。

這個人也是「兔子」啊——
吶，來聊聊吧。
像是大神哥的事情之類。
！
他說大神…究竟是什麼事？
ドクン!
這棟大樓沒有其他人在，最適合講祕密了。
我…知道了。

ざわ
ざわ

呼——！
呼——！
叩…！
ざわ
ざわ
雖然不曉得「真希」是什麼人…
但既然兔子說是「工作」，應該就會在這一帶吧。
咔
咔
咔
哇哈哈！
叩——
啊，抱歉。
撞
嘖！
你們就這麼想上床喔，混蛋！
士狼已經盯上他了。
我得快點找到兔子才行，但這個人潮害得…
撞上
叩！
又來了！？

どすん!!
好痛喔~!
抱歉。
真是的~!小心一點嘛,真希的身體可是要用來賺錢的呢⋯
!
妳說「真希」!?
喂,妳啊!
是不是認識一個叫宇佐美的刑警!?
驚

呼！呼！
真…真希
又沒有錯！
是小士叫人家
找他出來的嘛！
嗚哇——
可惡！
呼！呼！
為什麼
我沒有跟兔子
在一起？
不管怎麼說，
我應該都有辦法
陪著他才是。

明明就知道
今晚一定會
發生什麼事情…！

可是呢，
在我把那傢伙揍得
滿地找牙時，
剛好大神哥經過了。

從那之後，
我就一直追隨著
大神哥。

…喔…

他一直講些
無關緊要的話，
到底有什麼目的？
話說這個人
照到月亮沒問題嗎…？
就算說現在有點雲，
但竟然還特地
跑到戶外來…

如果他真的是
「兔子」…
呼…

啊啊啊可惡——
雲怎麼不快點散開啊——
瞄
呼…呼…
就算他是「兔子」，好歹也是刑警。
我原本是想要盡可能拉開力量的差距——
呼…
呼…

…真教人心癢難耐啊。
這就是…
「兔子」啊…
我要不要乾脆趁現在吃掉他算了…
咕嘟…

…吶，宇佐美，
拉
這個兜帽很礙事吧？…可以拿開嗎？
驚
什…!?
哎呀…!
哐哐哐
嘖！
動作真快啊，大神哥。
!?
咦!?

兔子!!
大神!?
咦?咦?你怎麼會跑來這裡!?
!!

兔子，快離開他！
那傢伙是「狼」！
咦！
嘖！

兔…
你這…
啊…什麼…!?哇啊!!
…傢伙!
喝!

痛痛痛…
呼…呼…
…到底是怎麼回…
ア…
!?
月亮…
—!
糟了…

啊…
嗚啊…
呼…!
呼啊!
咕嗚!

呼——
呼……
呼—
…好險——
真不愧是
警察大人呢。
呼！
大神哥！
你要是敢動一步，
我就會在這裡傷了
你重要的「兔子」喔。
抓起
呼…
呼啊…
啊…嗚…
啊…
…！
該死…！
ギリッ

大神哥啊，
我不會叫你
把「兔子」給我，
我們分著用吧。
看是把他
關在哪裡，
當成飛機杯
不也挺好的嗎？
混蛋！
——士狼！

大…神……！
可惡，放…開我！
グイッ
——哎呀，安分點啊，宇佐美。
——！
ギリ…
ヒュ

…痛！

…痛死啦!!
ブン
ガッ
唔喔喔喔!

「狼」的性衝動，
會轉化為暴力。
可是…可是…
再這樣下去——!!

士狼，你這傢伙竟敢……
……大神！

士狼！你這混蛋！看我宰了你!!
不行啊，大神！快住手！
大神!! 拜託你冷靜點！

你也快走！
快走啊，快點！
…可惡！
我可不會放棄喔!?
兔子，放開我！士狼…!!
!!
兔子…！
慢著，大神!?

哇!?
笨蛋！你在想什麼啊？在這種地方！
讓開！快住手啊！
じたばた じたばた
呼…！呼…！
呼…！
……!?
大神，快住手！
大…

…你這…
笨蛋!!
好痛!?
啊!
…兔子…
謝謝你救了我!
刺痛刺痛

但你這樣做
不對吧！
ビシッ
你不就是為了
不要變成這樣，
才會跟我
在一起的嗎！
……………
…抱歉。
唉～～～
抱緊…

…
扭動…
嗯…
唔…
輕咬
…兔子，頂到我嘍。
唔…
呼…
さす…
要…要在…這種地方？
呼…
呼…
就因為是在這種地方才會更興奮吧…？
腰抬高一點。
唔…嗯。
嗯！嗯…！
…！

唔啊……
啊—啊……
呼！呼！呼！
—啊……
啊…啊！
兔子，你這是什麼表情啊。
已經想要我了嗎？
你…你才是…！
呼哈…！
唔！
呼…嗚……
我要進去嘍。
…就這樣慢慢坐下來。
嗯！
啊！
呼…啊……
呼……啊！

啊……啊……
ぶるぶる
進……進來……了……
……好棒……
好……大……
好舒服……
じゅぷ、ずちゅ……ずっ
ずっずっずっ
我也是……兔子……
你的裡面……
呼！
嗯！
呼— 呼—
光是進去，
感覺都快融化了。
呼…… 呼……

大神……
大神……
ゆさっ
呼—
呼—
呼……
嗚……
ゆさっ
ズッズッ
呼啊！
きゅっ
啊……啊！
嗯！
ズッ
啊！
ズッ
ズッ

大神…
呼…
呼啊…
大神…
兔子…!
呼…
…!
嗯嗯!

呼——
呼…
呼…
呼…
大神，我啊…
還以為…那個人是「兔子」。
呼…！
呼…！
呼——！
呼…
呼…

然後…
我在想他要是跟你有過什麼關係，該怎麼辦才好。
咚！
唔！
…原來他是「狼」啊。
哦——
原來如此…我也該想到他會誤會是這樣。
不對，其實…還滿高興的…
啊…難怪第一次跟他對上眼時，才會有那種感覺。
莫名感到坐立難安…
…抱歉…
…不過呢…
就算士狼真的是兔子，我也只要你就夠了。
唔！

怦咚
——!
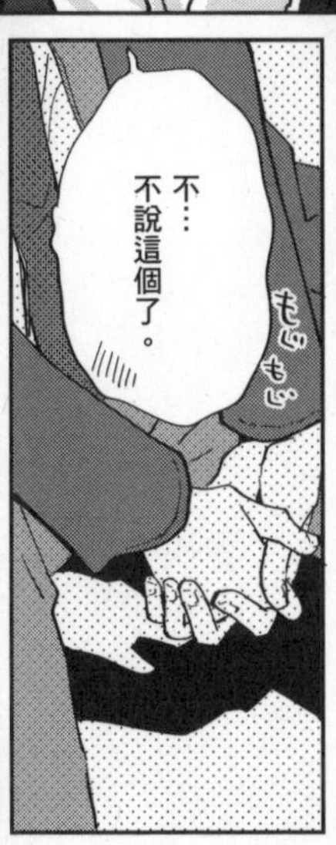
不…
不說這個了。
もじもじ

要是你能
早點告訴我
那個人是「狼」，
我也不會
傻傻地
跟著他走了嘛。
搔頭

……

……要是你知道他是「狼」……
撇頭
要是…你…對他感興趣的話…
…我會…很不高興。
啊——!?
中箭

我當然也是
只要你就夠了啊！

噗——！
噗哈！
…嗯，抱歉喔。
怎樣啦!?
笑什麼!?
抱歉…
呵呵呵！
是沒差啦…
我只要你就夠了，能遇見你真是太好了。
嗯…我也是。

啊——……
我真喜歡他。

雖然依然不曉得
我們之間的關係
究竟該怎麼稱呼……

END

hatsujouki janakya nagutteru!

presented by sasaki ima + takase roku

新繪短篇漫畫「之後的故事」
喔喔…
暖呼呼（剛泡過澡）
滿滿嫩薑的牛蒡雞肉、這個是焗烤山藥，還有泡菜鍋跟蓮藕肉丸。
每一道都是能讓身體暖起來的菜喔。
唔唔唔…超──好吃…
好暖喔
我可以過得這麼幸福嗎～
もりもり
もぐもぐ
吃吧吃吧。今天過得很辛苦嘛。
嚼嚼
嘿！
來，你也吃看看這個吧，會在嘴裡化開喔。
鍋裡加的魚白。
ひょい

士狼經過這次
也學到教訓了吧，
應該好一陣子
不會亂來了…
……
…要是他…
也能找到
自己的「兔子」
就好了…
呼…
呼…

ゴロッ
呼…
呼…
慘了！快趕不上末班車…
天啊，打架嗎？
ざわ
ざわ
呼…呼…
今天算我請客啦！
真的假的！

支倉老師，我倆再去續攤吧！
ざわざわ
…該死！
ぐいっ

……
カチッ
カチッ
カタカタカタ

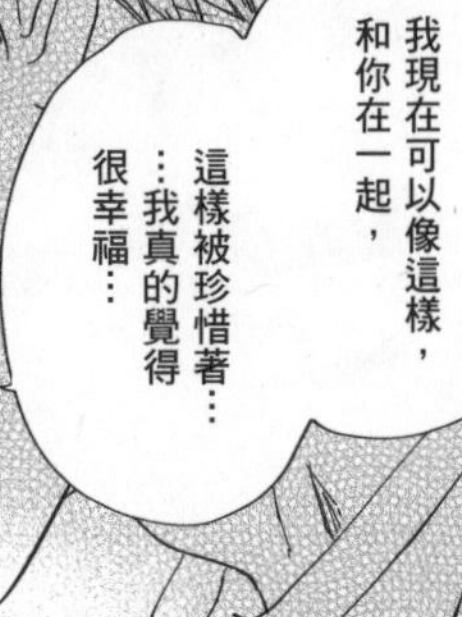
我現在可以像這樣，和你在一起，
這樣被珍惜著…
…我真的覺得很幸福…
所以…
怎樣都無法放下
獨自與自己的體質
奮戰的…
…那個人。

回神
哇啊啊！我剛剛竟然說了那麼害臊的話！
我說出口了對吧!?
……
ばっ
ぐしゃぐしゃ
!!
…就是說啊。希望他可以找到。
…你這一點真的很棒耶！
ぐいっ
咦!?喔…喔喔？
嗯，兔子我喜歡你喔。
咦？咦？我…我也是…
…這樣回應可以吧？

這是後記

《兔子刑警的發情期！》

多虧了各位才能出到第二集!! 非常感謝大家的支持!!

Special thanks 炭、なりすけ、サチ

能撐過幾乎是以往兩倍（以上？）艱辛的工作進度，

都是因為有三位的幫忙～～～～

Kadokawa Comics
Girl Series

兔子刑警的發情期！ ②

（原著名：発情期じゃなきゃ殴ってる！ ②）

2019年4月10日 初版第1刷發行
2020年3月3日 初版第2刷發行

作　　者：佐崎いま＋高瀬ろく
譯　　者：帽子

發 行 人：岩崎剛人
總 經 理：楊淑媄
資深總監：許嘉鴻
總 編 輯：蔡佩芬
編　　輯：江宇婷
美術設計：莊捷寧
印　　務：李明修（主任）、張加恩（主任）、張凱棋

發 行 所：台灣角川股份有限公司
地　　址：105台北市光復北路11巷44號5樓
電　　話：（02）2747-2433
傳　　真：（02）2747-2558
網　　址：http://www.kadokawa.com.tw
劃撥帳戶：台灣角川股份有限公司
劃撥帳號：19487412
法律顧問：有澤法律事務所
製　　版：巨茂科技印刷有限公司
I S B N：978-957-564-896-1